À Croce, ma merveilleuse grand-mère.

Traduction de Marie Ollier

ISBN : 978-2-07-507704-0
Titre original : *The Lines on Nana's Face*
Publié pour la première fois par Flying Eye Books,
un imprint de Nobrow Ltd, Londres
©Simona Ciraolo 2016,
pour le texte et les illustrations
Tous droits réservés.
©Gallimard Jeunesse 2017,
pour la traduction française
Numéro d'édition : 308403
Loi n° 49-956 du 16 juillet 1949
sur les publications destinées à la jeunesse
Dépôt légal : mars 2017
Imprimé en Lettonie

Simona Ciraolo

Le visage de Mamina

GALLIMARD JEUNESSE

Aujourd'hui, on fête l'anniversaire de Mamina !
Je sais qu'elle est contente parce qu'elle aime bien nous voir tous réunis.

Mais parfois, on dirait que le visage de Mamina
est tout mélangé, un peu triste,
un peu surpris, un peu inquiet à la fois.

Elle me dit que c'est peut-être à cause des rides,
ces petites lignes qu'on voit dessus.

– Est-ce que ça t'embête, Mamina ?
– Pas du tout, ma chérie. Au contraire,
j'y tiens beaucoup à ces rides. Parce que dedans,
il y a tous les souvenirs de ma vie.

Mais comment des souvenirs pourraient-ils tenir
dans d'aussi petits traits?
Il n'y a pas la place!

Voyons voir…

– Raconte-moi, Mamina, qu'est-ce qu'il y a ici ?

– Il y a un matin de printemps. Je venais de comprendre un grand mystère…

– Et là ?

– Un pique-nique à la mer.
Un des moments les plus drôles de ma vie !

– Et ces toutes petites
rides-là, c'est quoi?

– Ah, celles-là… Elles datent de la nuit
où j'ai rencontré ton grand-père.

– Et celles-ci Mamina ?

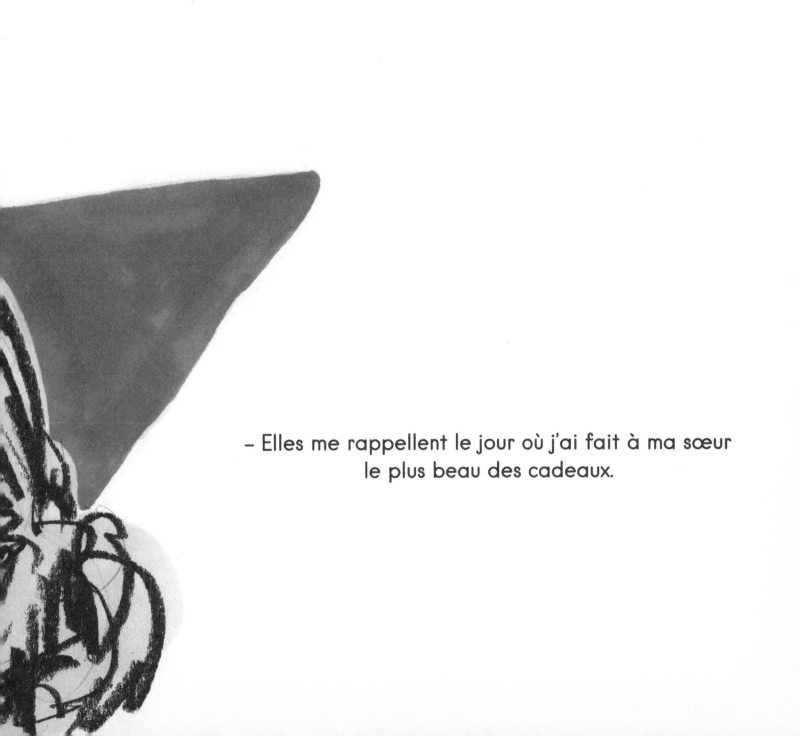

– Elles me rappellent le jour où j'ai fait à ma sœur
le plus beau des cadeaux.

– Et qu'est-ce qu'il y a là?

– La première fois que je lui ai dit au revoir…

– Et la première fois que tu m'as vue,
tu t'en souviens, Mamina ?

– Bien sûr, ma chérie! Regarde, elle est juste ici.